D1275555

LA FILARMÓNICA SE VISTE

LA FILARMÓNICA SE VISTE

Por Karla Kuskin

ilustraciones de Marc Simont

© 2013, Editorial *Corimbo* por la edición en español
Av. Pla del Vent 56, 08970 Sant Joan Despí (Barcelona)
corimbo@corimbo.es
www.corimbo.es
Traducción al español de Ana Galan
1ª edición noviembre 2013
Texto copyright © 1982 Karla Kuskin
Ilustraciones copyright © 1982 Marc Simont
Publicado con el acuerdo de *HarperCollins Children Books*,
una división de HarperCollins Publishers
Título de la edición original: *"The Philsarmonic gets dressed"*
Impreso en Talleres gráficos Vigor S.A.
Sant Feliu de Llobregat (Barcelona)
Depósito legal: B.21351-2013
ISBN: 978-84-8470-487-4

Cualquier forma de reproducción, distribución, comunicación
pública o transformación de esta obra, solamente puede ser
efectuada con la autorización de los titulares de la misma, con
la excepción prevista por la ley. Dirigirse a CEDRO (Centro
Español de Derechos Reprográficos) si necesita fotocopiar o
escanear algún fragmento de esta obra (*www.conlicencia.com*;
91 702 19 70 / 93 272 04 47)

R06027 90615

Es viernes y casi es de noche. Afuera, la oscuridad se hace más oscura y el frío se vuelve más frío. Dentro, se encienden las luces en las casas y los pisos.

Y por aquí y por allá, por arriba y por
abajo y al otro lado de los puentes de
la ciudad, ciento cinco personas se
preparan para ir a trabajar.

Primero se lavan. Hay noventa
y dos hombres y trece mujeres.
Muchos se duchan. Algunos se
bañan. Dos hombres y tres mujeres se dan un baño de espuma. Un
hombre lee en la bañera mientras
su gato le mira y una mujer canta
entre las pompas de jabón.

Cuando terminan de lavarse, se secan. Usan toallas grandes y toallas pequeñas y se ponen polvos de talco. Todos los hombres se afeitan menos tres que tienen barba. Dos se arreglan la barba.

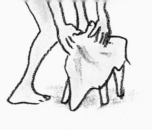

Entonces, cuando las ciento cinco personas se han duchado y bañado, se han secado y se han puesto polvos de talco, se ponen la ropa interior.

Los hombres se ponen calzoncillos largos o cortos. Algunos se ponen camisetas de manga corta debajo de la camisa. Otros se ponen

camisetas sin mangas y unos po-
cos de los noventa y dos, no llevan
camisetas interiores. Pero se está
haciendo de noche y la tempera-
tura está bajando, y un hombre
muy delgado se pone un esquija-
ma debajo de la ropa.

Todos los hombres se ponen calcetines negros. Tienen calcetines
largos y calcetines cortos y calcetines de seda muy lujosos con dise-
ños. Algunos se ponen ligas para
que los calcetines largos no se les
caigan hasta los tobillos.

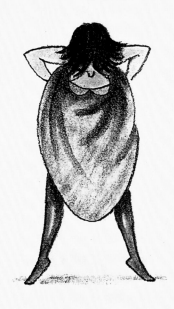

Las trece mujeres se ponen todo tipo de ropa interior: braguitas, medias, enaguas y sujetadores. Una mujer que siempre tiene los pies fríos se pone unas medias de lana encima de sus medias de nailon.

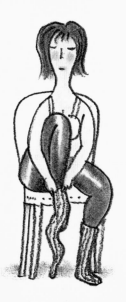

Cuando todos los hombres se han puesto los calcetines, se ponen sus camisas blancas de manga larga y se las abotonan. Después se ponen unos pantalones negros. Cuarenta y cinco hombres se ponen de

pie para ponerse los pantalones.
Los pantalones tienen una cinta
negra y brillante a un lado de cada
pernera. Los hombres se suben las
cremalleras y se abrochan un bo-
tón o dos.

Hay un hombre con el pelo negro y ondulado y un mechón blanco y brillante. Se pone una camisa blanca muy suave con chorreras.

Tiene unos puños especiales que se abrochan con gemelos. Este hombre se pone un trozo negro de tela en la cintura. Es un cinturón que se llama fajín. Ninguno de los otros hombres lleva cinturón. Se ponen tirantes. Se abotonan los tirantes a la cintura de sus pantalones y se colocan los tirantes por encima de los hombros.

Ocho mujeres se ponen faldas negras y largas. Llevan blusas o jerséis
negros en la parte de arriba. Cuatro
mujeres se ponen vestidos largos y
negros. Una se pone un vestido de

tirantes encima de su blusa negra. Algunas mujeres se ponen joyas, como collares y pendientes, pero ninguna lleva pulseras. Las pulseras les molestarían para trabajar.

Todos los hombres se ponen pajaritas negras. Algunos se las atan delante del espejo. Algunos se miran en él mientras se las atan. El hombre delgado silba una cancioncilla mientras se ata su pajarita. Veintisiete hombres se ponen pajaritas que ya están atadas. El hombre del pelo ondulado negro con el mechón blanco, la camisa de chorreras y las ligas en los calcetines se pone una pajarita *muy* grande. Parece un murciélago blanco.

Nadie lleva una pajarita igual. Se pone un chaleco blanco y después una chaqueta negra que es corta por delante y larga por detrás y se divide en dos, como si fueran la cola de un pingüino. Esta chaqueta con cola y los pantalones negros se llama chaqué. Los otros noventa y dos hombres se ponen la chaqueta de su esmoquin. Sus chaquetas también son negras y tienen las solapas brillantes. Pero no tienen cola por detrás.

Cuando todos los hombres y las mujeres se han vestido de blanco y negro, se preparan para salir. Se ponen sus abrigos, cazadoras, capas, botas, guantes o manoplas, algunos llevan bufandas, muchos llevan sombrero y, otros, orejeras. Entonces casi

todos agarran sus maletines. Los maletines tienen distintas formas y son de tonos marrones o negros. El hombre del pelo ondulado negro con el mechón blanco, la camisa de chorreras, las ligas y la pajarita que parece un murciélago blanco agarra su pequeño maletín de cuero. Nadie más tiene un maletín así.

Los ciento cinco hombres y mujeres se despiden. Les dicen adiós a sus padres, madres, maridos, mujeres, amigos, hijos, perros o gatos, o a quien esté en casa.

Entonces salen por las ciento cinco puertas, se internan en las ciento cinco calles y van en taxi, en su coche, en metro o en autobús hasta el centro de la ciudad.

El hombre del pelo ondulado y
el mechón blanco lleva un abrigo
negro con el cuello de terciopelo y
una bufanda blanca de seda. Entra
en un automóvil muy largo que le

espera en la puerta de su edificio.
Mientras el conductor conduce, el
hombre abre su maletín y mira unos
papeles. Canta un poco y tararea.

A las 20:25 del viernes por la noche, en el centro de la ciudad, ciento
cuatro personas suben a un escenario grande en el Auditorio de la Filarmónica. Han dejado sus abrigos,
cazadoras o capas, sus botas, guantes
o manoplas, algunas bufandas, muchos sombreros y algunas orejeras

en los camerinos, en unos casilleros de metal de color verde oscuro. También han dejado allí sus maletines de muchas formas y tonos marrones o negros. Ahora, ciento uno de los hombres y mujeres llevan en la mano los instrumentos musicales que guardaban en los maletines.

Tres personas no llevan sus instrumentos. Son la arpista que toca el arpa y los dos percusionistas que tocan los timbales y otros instrumentos pequeños de percusión: los platillos y el batintín. Estos instrumentos pesan demasiado para llevarlos de un lado a otro. Ya están en el escenario.

Hay ciento dos sillas en el escenario y dos taburetes. Al lado de cada asiento hay un atril con partituras. Las ciento cuatro personas se sientan en sus asientos. Los dos

que tocan el contrabajo se sientan
en los taburetes. Todos abren sus
partituras por la primera página.
La página es blanca y está llena de
líneas negras y notas musicales.

El hombre del pelo ondulado
con el mechón blanco sube al escenario. Va a la parte de delante y
se sube encima de una caja que se
llama podio. Desde ahí le pueden
ver bien las ciento cuatro personas

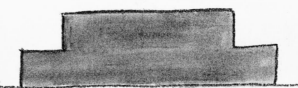

que están en el escenario y los cientos de personas del público. La audiencia aplaude. El hombre hace una reverencia. Es el director, el líder de la orquesta, y tiene una vara en la mano. Se llama batuta.

El director levanta la batuta en el aire. En lo alto, en el techo del Auditorio de la Filarmónica, seis candelabros brillan en silencio.

El director baja la batuta y el palacio, que es ancho y largo como un campo de fútbol de terciopelo rojo, se llena de música.

La música flota y se eleva. Canta y baila con las violas, violines, violonchelos, contrabajos, flautas y flautines, fagotes, clarinetes, oboes, trompas y trompetas, trombones, tuba, arpa, tambores, timbales, carillones y un triángulo plateado.

Son las 20:30 del viernes por la noche, y los ciento cinco hombres y mujeres vestidos de blanco y negro empiezan a trabajar y convierten las notas musicales negras de las páginas blancas en una sinfonía.

Son los miembros de la Orquesta Filarmónica y su trabajo es tocar
música. Maravillosamente.